Éditions Flammarion – 87, quai Panhard-et-Levassor, 75647 Paris cedex 13
ISBN : 978-2-0813-6376-2

A. Telier

L'IMAGIER
du PÈRE CASTOR

Anglais – Français

Traduction de Marie Hermet

Illustrations :

Michel Boucher

Christian Broutin

Kersti Chaplet

Pascale Collange

Marie-Marthe Collin

Patricia Franquin

Maryse Graticola

Noëlle Herrenschmidt

Sandrine Herrenschmidt

Bruno Le Sourd

Marguerite Pasotti

Romain Simon

Pascale Wirth

Père Castor ■ Flammarion

Cette édition anglais-français du célèbre *Imagier du Père Castor* a pour vocation d'éveiller les petits à l'anglais, tout en douceur. Dès deux ans, ils prendront plaisir à y reconnaître les choses et les bêtes qui les entourent, et à les nommer.

Ne craignez pas que l'apprentissage de deux langues simultanément entraîne une confusion dans l'esprit des enfants, bien au contraire ! Découvrir qu'il existe plusieurs mots pour un même objet est un atout considérable dans la construction de la pensée.

Avec cette édition bilingue, les enfants découvrent d'abord le mot en anglais, puis son équivalent en français. Peu à peu, cet imagier leur apprendra à s'exprimer avec aisance, et enrichira leur vocabulaire. Il étendra progressivement leurs connaissances dans une langue, puis dans l'autre, de manière tout à fait naturelle.

Laissez-les feuilleter *L'Imagier* et s'émerveiller des découvertes qu'ils y feront. En présence des images, leurs goûts et leurs intérêts, leurs connaissances se révéleront d'une façon souvent saisissante. En vous laissant guider par eux, répondez simplement à leurs questions et encouragez-les à s'exprimer librement. Les petits s'habituent très vite à passer d'une langue à l'autre.

L'Imagier du Père Castor est le résultat d'un long travail, fondé sur la conviction que les premières images placées sous les yeux des enfants exercent une influence capitale sur le développement de leur sensibilité, de leur goût, de leur jugement, et qu'on ne saurait apporter trop de soin à leur réalisation.

Voici quelques propositions de jeux qui vous permettront d'accompagner votre enfant dans ses découvertes.

CHERCHE DANS LE LIVRE
Dans une langue puis dans l'autre :
• des jouets, des meubles, des voitures, des instruments de musique, etc.
• les objets rouges, jaunes, verts, etc. (À la fin du livre, retrouvez les couleurs dans la rubrique « Mes 100 premiers mots d'anglais »)
• ce qu'il faut pour écrire, dessiner, faire sa toilette.
• des bêtes qui vivent dans la mer, dans l'air, sur terre, qui ont des ailes, des poils, des plumes...

DEVINETTES
Vous pourrez proposer un mot dans une langue, et l'aider à mémoriser le même mot dans l'autre langue, avec le support de l'image.

Ayant ouvert *L'Imagier* devant l'enfant, décrivez sans la désigner ni la nommer, une des quatre images qu'il a sous les yeux (ou bien n'importe quelle image du livre).
• c'est une bête qui a quatre pattes, des sabots et de longues oreilles.
• c'est un fruit jaune, une fleur qui pique, etc.
L'enfant cherche l'image et la nomme dans une langue ou dans l'autre, en regardant la double page (ou en feuilletant *L'Imagier*). Bientôt pris au jeu, il posera lui-même des devinettes, à vous alors de repérer les images et de les nommer !

Sommaire

Babies

Les bébés

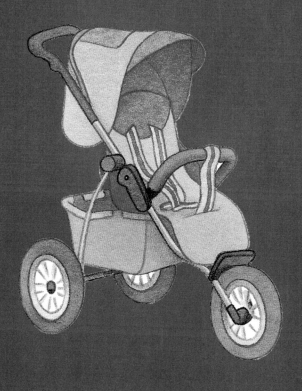

baby ▪ le bébé

nappy ▪ la couche

bodysuit ▪ le body

bib ▪ le bavoir

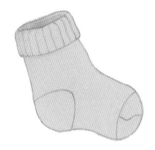

sock ■ la chaussette

vest ■ le maillot de corps

dungarees ▪ la salopette

shoe ▪ la chaussure

sleepsuit ■ le dors-bien

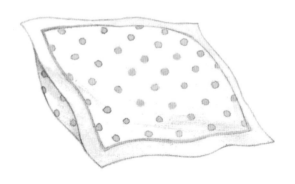

pillow ■ l'oreiller

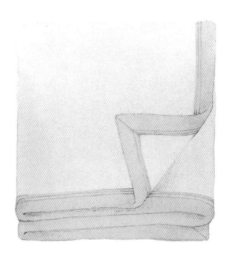

blanket ■ la couverture

sleeping bag ■ la gigoteuse

bouncer ■ le transat

carrycot ■ le couffin

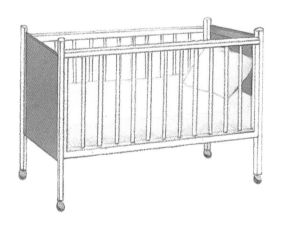

cot ▪ le lit de bébé

stroller ▪ la poussette

comb ■ le peigne

hairbrush ■ la brosse à cheveux

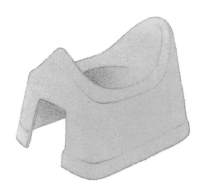

potty ■ le pot

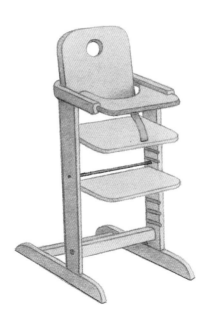

highchair ■ la chaise haute

bottle ■ le biberon

Pomme

4

baby food jar ■ le petit pot

biscuit ▪ le biscuit

yogurt ▪ le yaourt

play mat ▪ le tapis d'éveil

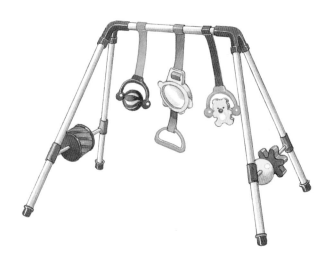

activity arch ▪ le portique

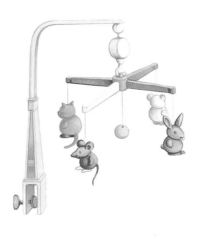

mobile ▪ le mobile

playpen ▪ le parc

spade ■ la pelle

truck ■ le camion

ball ▪ la balle

bucket ▪ le seau

doll ∎ la poupée

teddy bear ∎ l'ours en peluche

Toddlers

Les grands

knickers ▪ la culotte

cargo shorts ▪ le bermuda

sock ▪ la chaussette

underpants ▪ le slip

trousers ▪ le pantalon

top and joggers set ▪ le jogging

skirt ■ la jupe

dress ■ la robe

mitten ▪ la moufle

beanie ▪ le bonnet

glove ■ le gant

scarf ■ l'écharpe

boot ■ la botte

sandal ■ la sandale

slipper ■ le chausson

trainer ■ la tennis

shirt ▪ la chemise

T-shirt ▪ le tee-shirt

cardigan le gilet

sweater le pull

windbreaker ▪ le coupe-vent

down jacket ▪ la doudoune

jacket ■ le blouson

parka ■ la parka

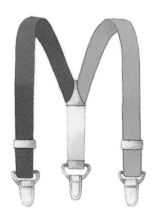

braces ■ les bretelles

belt ■ la ceinture

tights ▥ le collant

cap ▥ la casquette

pyjamas ■ le pyjama

nightdress ■ la chemise de nuit

bathrobe ▪ le peignoir de bain

swimsuit ▪ le maillot de bain

swing ■ la balançoire

sandpit ■ le bac à sable

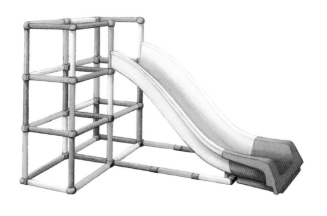

slide ■ le toboggan

pool ■ la piscine

kite ■ le cerf-volant

bat and ball set ■ les raquettes

ball ■ le ballon

skipping rope ■ la corde à sauter

bike ■ le vélo

scooter ■ la trottinette

tricycle ▪ le tricycle

roller skate ▪ le roller

harmonica ■ l'harmonica

tambourine ■ le tambourin

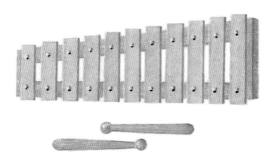

xylophone ■ le xylophone

trumpet ■ la trompette

paint box ■ la boîte de peinture

apron ■ la blouse

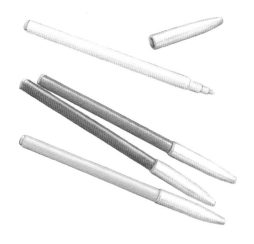

markers ■ les feutres

colouring pencils ■ les crayons de couleur

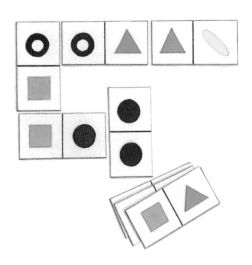

dominoes ■ les dominos

picture book ■ le livre d'images

puzzle ■ le puzzle

pearls ■ les perles

notebook ■ le cahier

school bag ■ le cartable

At home

À la maison

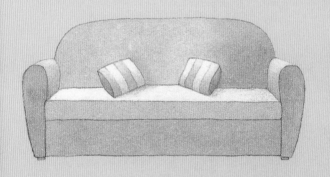

house ■ la maison

building ■ l'immeuble

door la porte

window la fenêtre

key la clé

stairs l'escalier

bell ▫ la sonnette

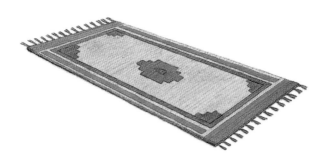

carpet ▫ le tapis

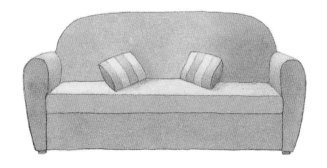

sofa ▦ le canapé

table ▦ la table

armchair ▪ le fauteuil

chair ▪ la chaise

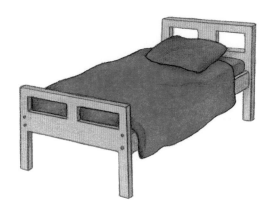

bed ▪ le lit

chest of drawers ▪ la commode

wardrobe ▦ l'armoire

stool ▦ le tabouret

bookcase ▪ la bibliothèque

newspaper ▪ le journal

book ▪ le livre

glasses ▪ les lunettes

aquarium ▪ l'aquarium

cage ▪ la cage

lamp ▥ la lampe

light bulb ▥ l'ampoule

log ▪ la bûche

fireplace ▪ la cheminée

fire ▪ le feu

match ▪ l'allumette

**wastepaper
basket** ▪ la corbeille
à papier

umbrella ▪ le parapluie

purse ▦ le porte-monnaie

camera ▦ l'appareil photo

television ▪ la télévision

computer ▪ l'ordinateur

telephone ▦ le téléphone

mobile phone ▦ le téléphone portable

mailbox ▪ la boîte aux lettres

pen ▪ le stylo

letter ▪ la lettre

glue stick ▪ le bâton de colle

pencil ▪ le crayon

pencil sharpener ▪ le taille-crayon

eraser ▪ la gomme

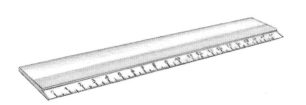

ruler ▪ la règle

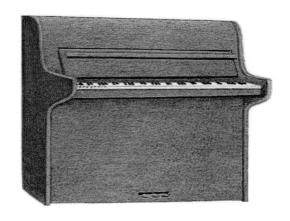

piano ▦ le piano

guitar ▦ la guitare

flute ▥ la flûte

violin ▥ le violon

bracelet ▪ le bracelet

ring ▪ la bague

necklace ▪ le collier

watch ▪ la montre

alarm clock ▦ le réveil

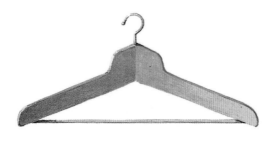

coat-hanger ▦ le cintre

vase ▥ le vase

bunch of flowers ▥ le bouquet

suitcase ▪ la valise

backpack ▪ le sac à dos

In the kitchen, in the bathroom

Dans la cuisine et la salle de bains

iron ■ le fer à repasser

clothes-peg ■ la pince à linge

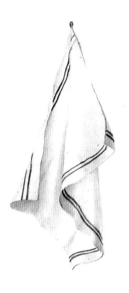

dishcloth ▪ le torchon

dish pan ▪ la bassine

sink ■ l'évier

tap ■ le robinet

cooking range ■ la cuisinière

microwave oven ■ le four à micro-ondes

washing machine ■ le lave-linge

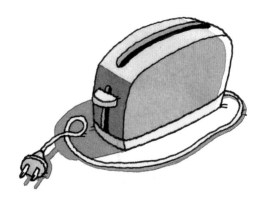

toaster ■ le grille-pain

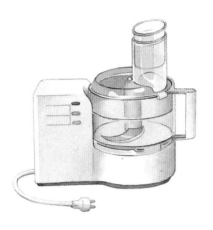

food processor ■ le robot ménager

vacuum cleaner ■ l'aspirateur

refrigerator ■ le réfrigérateur

saucepan ■ la casserole

frying pan ▪ la poêle

cooker ▪ la Cocotte-Minute

colander ▪ la passoire

scale ▪ la balance

basket ■ le panier

clock ■ la pendule

tablecloth ■ la nappe

napkin ■ la serviette
de table

broom ■ le balai

bin ■ la poubelle

corkscrew ■ le tire-bouchon

bottle opener ■ le décapsuleur

glass ▪ le verre

bottle ▪ la bouteille

coffee-maker ▪ la cafetière

kettle ▪ la bouilloire

bowl ■ le bol

cup ■ la tasse

jug ■ la carafe

flask ■ la gourde

teapot ■ la théière

egg cup ■ le coquetier

mould ▪ le moule

salad bowl ▪ le saladier

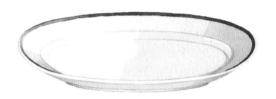

dish ■ le plat

plate ■ l'assiette

knife ■ le couteau

fork ■ la fourchette

spoon ▪ la cuillère

ladle ▪ la louche

washcloth ◾ le gant de toilette

towel ◾ la serviette de toilette

nail brush ▪ la brosse
à ongles

soap ▪ le savon

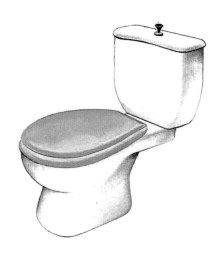

toilet ■ les toilettes

washbasin ■ le lavabo

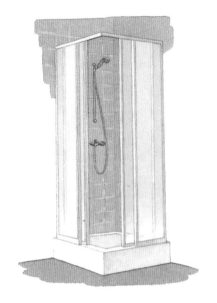

shower ■ la douche

bathtub ■ la baignoire

sticking plaster ▪ le pansement

thermometer ▪ le thermomètre

hairdryer ■ le sèche-cheveux

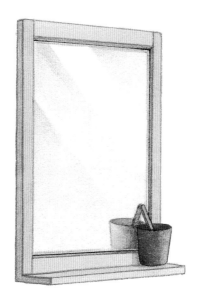

mirror ■ le miroir

toothbrush ■ la brosse à dents

toothpaste ■ le dentifrice

Tools

Les outils

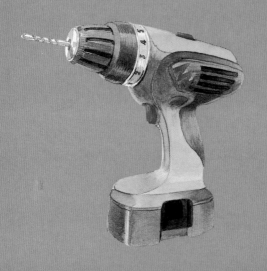

ball of wool ■ la pelote de laine

cotton reel ■ la bobine de fil

button ■ le bouton

safety pin ■ l'épingle
de sûreté

scissors ▪ les ciseaux

thimble ▪ le dé à coudre

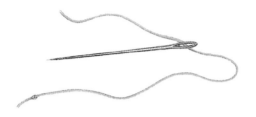

needle ■ l'aiguille

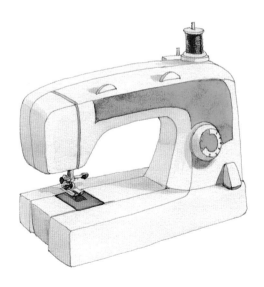

sewing machine ■ la machine à coudre

ladder ▪ l'échelle

stepladder ▪ l'escabeau

workbench ■ l'établi

tool box ■ la caisse à outils

pliers ■ la tenaille

hammer ■ le marteau

nail ■ le clou

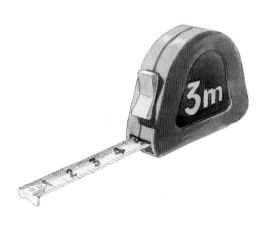

measure tape ■ le mètre

drill ■ la perceuse

screwdriver ■ le tournevis

screw ■ la vis

saw ■ la scie

torch ■ la lampe de poche

shears ■ le sécateur

axe ■ la hache

lawnmower ■ la tondeuse à gazon

rake ■ le râteau

spade ■ la bêche

dibble ▪ le plantoir

watering can ▪ l'arrosoir

hosepipe ■ le tuyau d'arrosage

wheelbarrow ■ la brouette

Food

La nourriture

croissant ▪ le croissant

chocolate roll ▪ le pain au chocolat

jam ▪ la confiture

slice of bread ▪ la tartine

coffee ■ le café

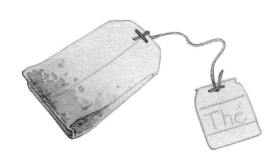

teabag ■ le sachet de thé

milk ■ le lait

cereal ■ les céréales

chocolate ▪ le chocolat

pie ▪ la tarte

cake ■ le gâteau

pancakes ■ les crêpes

sugar ■ le sucre

sweet ■ le bonbon

lollipop ■ la sucette

ice cream ■ la glace

bread ■ le pain

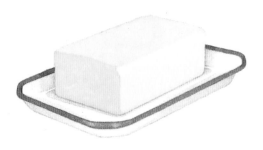

butter ■ le beurre

rice ▪ le riz

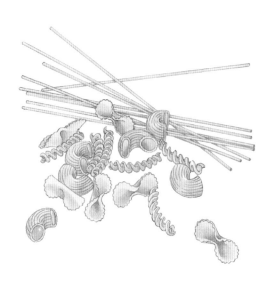

pasta ▪ les pâtes

chicken ■ le poulet

meat ■ la viande

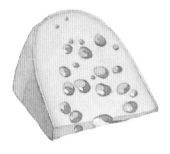

cheese ■ le fromage

chips ■ les frites

pâté ■ le pâté

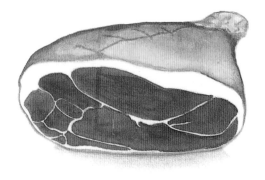

ham ■ le jambon

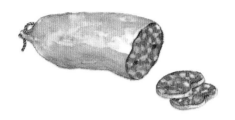

dry sausage ▪ le saucisson

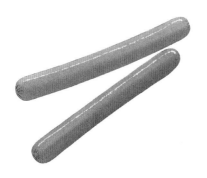

sausages ▪ les saucisses

salt ▪ le sel

fish ▪ le poisson

shrimp ▪ la crevette

egg ▪ l'œuf

lemon ■ le citron

tangerine ■ la mandarine

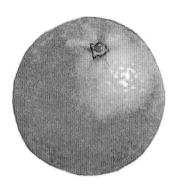

orange ■ l'orange

banana ■ la banane

pear ■ la poire

cherry ■ la cerise

strawberry ▪ la fraise

apple ▪ la pomme

apricot ■ l'abricot

peach ■ la pêche

kiwifruit ■ le kiwi

pineapple ■ l'ananas

plum ■ la prune

melon ■ le melon

grapes ■ le raisin

raspberry ■ la framboise

walnut ■ la noix

hazelnut ■ la noisette

cucumber ■ le concombre

pickle ■ le cornichon

radish ▪ le radis

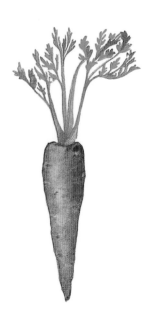

carrot ▪ la carotte

lettuce ■ la salade

leek ■ le poireau

garlic ▪ l'ail

onion ▪ l'oignon

mushroom ■ le champignon

parsley ■ le persil

potato ▪ la pomme de terre

peas ▪ les petits pois

artichoke ▪ l'artichaut

tomato ▪ la tomate

string bean ■ le haricot

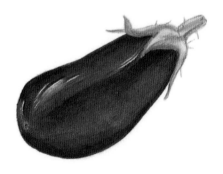

eggplant ■ l'aubergine

cabbage ■ le chou

cauliflower ■ le chou-fleur

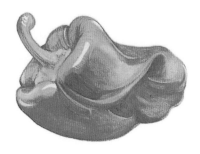

green pepper ▪ le poivron

pumpkin ▪ le potiron

Nature

La nature

stars ■ les étoiles

moon ■ la lune

sun ■ le soleil

rainbow ■ l'arc-en-ciel

daffodil ■ la jonquille

anemone ■ l'anémone

bluebell ▪ la jacinthe

tulip ▪ la tulipe

petunia ▪ le pétunia

iris ▪ l'iris

cactus ■ le cactus

thistle ■ le chardon

cornflower ▪ le bleuet

marguerite daisy ▪ la marguerite

daisy ■ la pâquerette

poppy ■ le coquelicot

geranium ■ le géranium

carnation ■ l'œillet

pansy ▪ la pensée

rose ▪ la rose

May lily ■ le muguet

violet ■ la violette

mimosa le mimosa

holly le houx

blackberry ▪ la mûre

acorn ▪ le gland

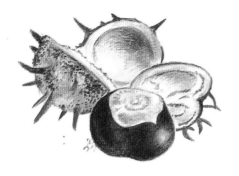

horse chestnut ▪ le marron

chestnut ▪ la châtaigne

tree ▪ l'arbre

leaf ▪ la feuille

branch ▪ la branche

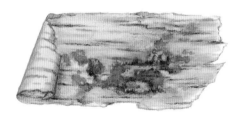

bark ▪ l'écorce

oak ■ le chêne

birch ■ le bouleau

fir tree ■ le sapin

chestnut tree ■ le marronnier

corncob ▪ l'épi de maïs

wheat ear ▪ l'épi de blé

Animals in
the countryside

Les animaux d'ici

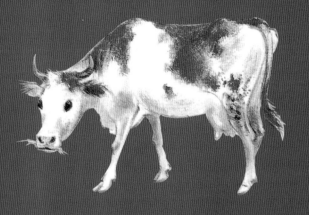

fledgelings ■ les oisillons

magpie ■ la pie

pigeon ■ le pigeon

crow ■ le corbeau

sparrow ▪ le moineau

blackbird ▪ le merle

swallow ∎ l'hirondelle

tit ∎ la mésange

snail ▪ l'escargot

earthworm ▪ le ver de terre

slug ▪ la limace

lizard ▪ le lézard

viper ■ la vipère

toad ■ le crapaud

frog ■ la grenouille

tortoise ■ la tortue

mouse ▪ la souris

cat ▪ le chat

dog ■ le chien

rabbit ■ le lapin

cow ■ la vache

horse ■ le cheval

donkey ■ l'âne

pony ■ le poney

sheep ■ le mouton

goat ■ la chèvre

duck ∎ le canard

duckling ∎ le caneton

pig ■ le cochon

hen ■ la poule

chick ◼ le poussin

cock ◼ le coq

goose ■ l'oie

swan ■ le cygne

owl ▪ le hibou

woodpecker ▪ le pivert

squirrel ▪ l'écureuil

hedgehog ▪ le hérisson

hare ■ le lièvre

fox ■ le renard

wild boar ■ le sanglier

doe ■ la biche

stag ▪ le cerf

bear ▪ l'ours

wolf ∎ le loup

eagle ∎ l'aigle

marmot ■ la marmotte

beaver ■ le castor

seagull ▪ la mouette

crab ▪ le crabe

starfish ■ l'étoile de mer

sardine ■ la sardine

wasp ■ la guêpe

fly ■ la mouche

mosquito ▪ le moustique

ant ▪ la fourmi

bee ■ l'abeille

spider ■ l'araignée

dragonfly ▪ la libellule

butterfly ▪ le papillon

ladybird ▪ la coccinelle

grasshopper ▪ la sauterelle

Animals
in the wild

Les animaux
d'ailleurs

stork ■ la cigogne

pelican ■ le pélican

hippopotamus ■ l'hippopotame

rhinoceros ■ le rhinocéros

zebra ■ le zèbre

giraffe ■ la girafe

gazelle ▪ la gazelle

lion ▪ le lion

panda ■ le panda

sloth ■ le paresseux

koala bear ■ le koala

chameleon ■ le caméléon

elephant ■ l'éléphant

monkey ■ le singe

parrot ■ le perroquet

crocodile ■ le crocodile

ostrich ■ l'autruche

kangaroo ■ le kangourou

camel ▪ le chameau

dromedary ▪ le dromadaire

tiger ■ le tigre

panther ■ la panthère

jaguar ■ le jaguar

boa ■ le boa

whale ▪ la baleine

dolphin ▪ le dauphin

shark ■ le requin

seal ■ le phoque

razorbill ■ le pingouin

penguin ■ le manchot

Machines

Les engins

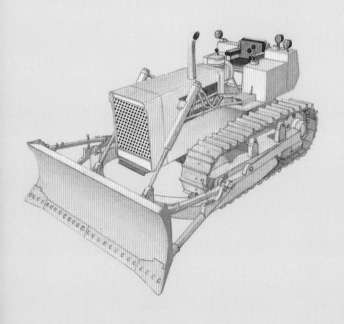

plough ▪ la charrue

harvester ▪ la moissonneuse-batteuse

tractor le tracteur

tanker le camion-
citerne

digger ▪ la pelleteuse

crane ▪ la grue

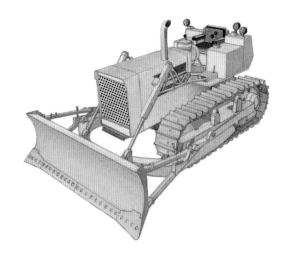

bulldozer ◾ le bulldozer

tipper truck ◾ le camion-
benne

skip ▪ le camion–
poubelle

ambulance ▪ l'ambulance

fire engine le camion de pompier

police van le camion de police

car ▪ la voiture

motorbike ▪ la moto

motor scooter le scooter

bicycle la bicyclette

bus ▪ l'autobus

underground train ▪ le métro

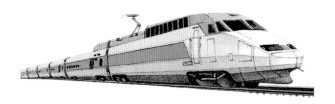

high-speed train ■ le train à grande vitesse

carriage ■ le wagon

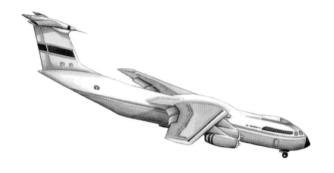

plane ▪ l'avion

hot-air balloon ▪ la montgolfière

helicopter ◾ l'hélicoptère

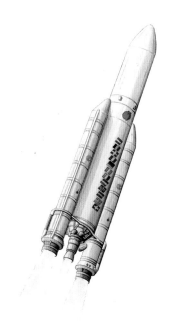

rocket ◾ la fusée

inflatable boat ▪ le bateau pneumatique

rowboat ▪ la barque

sailboat ■ le voilier

liner ■ le paquebot

barge ■ la péniche

oil tanker ■ le pétrolier

fishing boat ▪ le bateau de pêche

submarine ▪ le sous-marin

Index

257

Mes 100 premiers mots d'anglais

COLOURS
LES COULEURS :

black - noir
blue - bleu
brown - marron
green - vert
grey - gris
pink - rose
purple - violet
red - rouge
white - blanc
yellow - jaune

FAMILY
LA FAMILLE :

mother - mère
father - père
sister - sœur
brother - frère
grandmother
- grand-mère
grandfather
- grand-père
aunt - tante
uncle - oncle
cousin - cousin

DAYS OF THE WEEK
LES JOURS
DE LA SEMAINE :

Monday - lundi
Tuesday - mardi
Wednesday - mercredi
Thursday - jeudi
Friday - vendredi
Saturday - samedi
Sunday - dimanche

SEASONS
LES SAISONS :

spring - le printemps
summer - l'été
autumn - l'automne
winter - l'hiver

MY BODY
MON CORPS :

hair - cheveux
head - tête
eyes - yeux
nose - nez
neck - cou
shoulders - épaules
arms - bras
hands - mains
fingers - doigts
back - dos
stomach - ventre
legs - jambes
feet - pieds

OPPOSITE WORDS
LES CONTRAIRES :

big / little – grand / petit
happy / sad – heureux / triste
cold / hot – froid / chaud
wet / dry – mouillé / sec
full / empty – plein / vide
new / old – nouveau / vieux
right / left - droite / gauche
at the top / at the bottom
en haut / en bas

NUMBERS FROM 1 TO 10
LES NOMBRES DE 1 À 10 :

1 - **one** - un
2 - **two** - deux
3 - **three** - trois
4 - **four** - quatre
5 - **five** - cinq
6 - **six** - six
7 - **seven** - sept
8 - **eight** - huit
9 - **nine** - neuf
10 - **ten** - dix

THINGS I DO
CE QUE JE FAIS :

climb - grimper
cry - pleurer
drink - boire
eat - manger
fall - tomber
laugh - rire
love - aimer
play - jouer
read - lire
run - courir
sit - s'asseoir
sleep - dormir
smile - sourire
stand - être debout
swim - nager
walk - marcher
wash - laver

A NURSERY RHYME
UNE COMPTINE POUR APPRENDRE À COMPTER SUR SES DOIGTS :

À dire le plus vite possible, sans se tromper !

One little, two little, three little fingers,
Four little, five little, six little fingers,
Seven little, eight little, nine little fingers,
Ten little fingers on my hands.

Ten little, nine little, eight little fingers,
Seven little, six little, five little fingers,
Four little, three little, two little fingers,
One little finger on my hand.

Imprimé en Chine par APS
Éditions Flammarion (L.01EJDN001167.N001) – Dépôt légal : février 2016
Loi n° 49-956 du 16 juillet 1949 sur les publications destinées à la jeunesse